L'Histoire
Babar

Seneca Bradky

Jean de Brunhoff

Les personnages de la famille Babar ont été créés par Jean De Brunhoff.
C'est une histoire pour les enfants qui aiment les animaux comme Pom et Flore. Ils n'ont pas d'animal pour la compétition scolaire et ils sont tristes. Ils vont faire une promenade et sauvent un hérisson. Ils prennent le hérisson pour la compétition et gagnent le premier prix. Ils veulent garder avec eux leur animal préféré, mais "Tintin" préfère aller vivre dans la campagne.

ADAPTATION, EXERCICES ET NOTES CHARLOTTE JUGE
CONSULTANTE LINGUISTIQUE MONIQUE CAVALIER

PREMIÈRES LECTURES
TOUTES VOS HISTOIRES PRÉFÉRÉES DANS UN PETIT LIVRE.
ELLES SONT FACILES À LIRE ET TRÈS AMUSANTES !

La Spiga languages

L'ÉLÉPHANT BABAR

Pom et Flore prennent leur petit déjeuner à huit heures.
Pom aime les corn-flakes avec du lait froid[1] et un œuf à la coque.
Flore préfère le yaourt et les fruits frais.

1. *froid*   *chaud*

✏️ **Qu'est-ce qu'ils aiment, Pom et Flore ? Écris-le sous leurs noms.**

POM   FLORE

....

....

....

Corn-flakes

Oeufs à la coque

Lait froid

Yaourt

Fruits

À huit heures et demie, Pom et Flore
sont à l'arrêt de l'autobus[1].
M. Durand est le conducteur du bus[2].
Il porte les enfants à l'école.

1. arrêt du bus

2. conducteur du bus

M. Durand est en retard ! Trouve le chemin le plus court pour arriver à l'école.

*C'*est une très belle école.

Il y a un terrain de jeu à gauche[1] et un terrain de football à droite.

Il y a un court de tennis derrière l'école et un jardin en face de[2] l'école.

1. *gauche*

droite

2. *en face de*

derrière

✎ **Dessine l'école de Pom et Flore.**

terrain de jeux

terrain de football

court de tennis

jardin

7

« Bonjour les enfants, dit Mademoiselle Dezart, la maîtresse. Demain il y a la compétition[1] de vos animaux ! »

« Oh ! fantastique ! » disent les élèves.

« Rappelez-vous que vos chiens doivent avoir leur laisse[2] ! » dit la maîtresse.

1. *compétition*

2. *laisse*

✎ **Souligne le mot qui ne fait pas partie du groupe.**

court de tennis	terrain de football	<u>livre</u>
lait	crayon	œuf
maman	papa	chat
bus	droite	gauche
matin	après-midi	école

✎ **Fais le dessin du mot qui ne fait pas partie du groupe.**

Les enfants ont des animaux vraiment bizarres ! Didier Petit a un serpent ![1]
Tous les enfants ont leur animal préféré… sauf Pom et Flore.

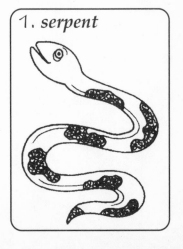

1. *serpent*

✎ **Les lettres dans chaque cercle forment un mot.**
Quelle est la phrase ?

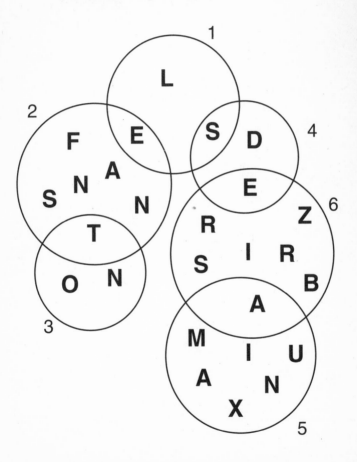

....

1. *visages tristes*

« $\mathcal{Q}$uels visages tristes[1] ! » dit Mme Babar.
« Maman, nous ne voulons pas aller à l'école aujourd'hui », crie Flore.
« Pourquoi ? » demande Mme Babar.
« Parce que nous n'avons pas d'animal pour la compétition », répond Pom.

✎ **Écris les phrases en regardant les images.**

animal

Exemple :

Pourquoi ne pouvez-vous pas aller à l'école ?

Parce que nous n'avons pas d'animal.

Pourquoi ne pouvez-vous pas sortir ?

parapluie

....

....

Pourquoi ne pouvez-vous pas jouer au football ?

ballon

....

....

Pourquoi ne pouvez-vous pas nager ?

maillot de bain

....

....

Pourquoi ne pouvez-vous pas écrire ?

stylo

....

....

Après le thé, les enfants vont faire une promenade.[1]

« Il pleut[2] », dit Mme Babar.

Mais Pom et Flore mettent leurs imperméables, leurs grosses bottes, leurs chapeaux et partent.

1. *promenade*

2. *il pleut*

✎ **Il pleut ! Aide Pom et Flore à mettre leurs vêtements. Colorie les images.**

POM

FLORE

chapeaux bleus

imperméables jaunes

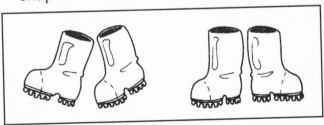

bottes vertes

« Pourquoi est-ce que nous ne prenons pas une vache[1] ou un cheval[2] pour la compétition ? » demande Flore.

« Ils sont beaucoup trop gros », répond Pom.

« Viens ici, jouons dans les flaques d'eau[3]… » SPLACH, SPLACH, SPLACH.

1. *vache*

2. *cheval*

3. *flaques d'eau*

✎ **Est-ce que ces phrases sont VRAIES ou FAUSSES ?**

	V	F
M. Durand est le maître.		☒
Pom a un chapeau rouge sur la tête.		
Pom et Flore ont un animal préféré.		
Ils n'aiment pas jouer dans les flaques d'eau.		
La compétition est prévue pour demain.		
Pom et Flore sont des frères.		
Les vaches sont trop grosses pour faire la compétition.		

Écris correctement les phrases incorrectes.

....

....

....

....

....

....

....

1. trou	2. yeux	3. grenouille

« *O*h ! qu'est-ce qu'il y a dans ce trou[1] ? »
dit Flore. Les enfants voient deux yeux[2].
« C'est une grenouille[3] ou une souris[4] ?…
Non … non, c'est un hérisson ! » crie Pom.

4. *une souris*   *deux souris*

✎ **Rejoins les points du n° 1 au 21 et tu trouve l'animal qui se cache.**

C'est un ....

« Regarde maman, que mange-t-il le hérisson ? »

« Donne-lui une assiette[1] avec du pain et du lait », dit M. Babar.

« Où peut-il dormir[2] ? » demande Flore à son papa.

« Il peut dormir dans une boîte[3] dans le jardin. »

1. *assiette*

2. *dormir*

3. *boîte*

✎ **Regarde les images et réponds aux questions.**

Où est-ce que le hérisson peut dormir ?

Il peut dormir dans une boîte.

Où est-ce que le chien peut manger ?

....

....

boîte

assiette

Où est-ce que le chat peut jouer ?

....

....

jardin

Où est-ce que le poisson rouge peut vivre ?

....

....

bocal à poisson

Où est-ce que le chat peut boire ?

....

....

soucoupe

Le matin suivant l'assiette est vide[1].

« Nous pouvons prendre le hérisson pour la compétition », disent Pom et Flore.

« A-t-il un nom ? » demande Mme Babar.

« Oui, "Tintin" », répondent les enfants.

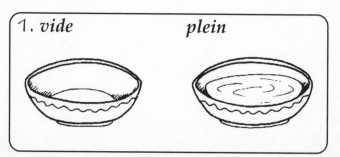

1. *vide*   *plein*

✎ **Trouve le nom du hérisson !**
Cherche son nom dans la grille dans le
sens horizontal, vertical ou oblique.

T	A	I	N	D	O
H	I	D	S	X	M
B	E	N	G	B	T
J	N	C	T	E	G
S	Q	I	K	I	N
X	G	O	M	Y	N

Son nom est ....

Il y a une grande confusion dans la classe ! Les animaux sont sur les tables[1] et sur le carrelage[2]. Il y a un serpent sur la tête de Mademoiselle Dezart ! Seulement Tintin est dans sa boîte. Mlle Dezart est désespérée ! « Le premier prix est pour le hérisson ! » crie-t-elle.

1. *table*

2. *carrelage*

✎ **Il y a une terrible confusion dans la classe !**
Comment l'imagines-tu ?

Tintin est le premier et le singe de Marc est le deuxième. Le perroquet de Julie est le troisième. Pom et Flore sont très heureux[1]. « Bonne nuit , Tintin », et ils mettent le hérisson dans sa boîte.

1. *heureux*

triste

✎ **À qui sont ces animaux ?**

Pom et Flore   Julie   Marc

Anne   Didier   Pierre

Écris les phrases.

Le hérisson de Pom et Flore est le premier.

....

....

....

....

....

1. *champ*

Le matin la boîte est vide.
« Les hérissons vivent dans les champs[1],
s'exclame Babar. Ils ne sont pas heureux
dans les boîtes. »

✎ **Quelles sont les deux images identiques ?**

1

2

3

4

5

6

Tous les soirs , Pom et Flore mettent du lait dans l'assiette de Tintin. Tous les matins[1], elle est vide. Mais maintenant, les enfants ne voient plus Tintin.

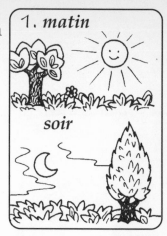

✎ **Mots croisés des animaux.**

IMPRIMÉ EN ITALIE PAR TECHNO MEDIA REFERENCE - MILAN

© 1995 *La Spiga languages* - MILAN

L'ÉDITEUR DÉSIRE REMERCIER TOUTES LES PERSONNES QUI ONT CONTRIBUÉ À LA RÉALISATION DE CE LIVRE. DES COMPENSATIONS
ÉVENTUELLES EST À DISPOSITION DES PROPRIÉTAIRES DU COPYRIGHT QU'IL N'A PAS ÉTÉ POSSIBLE DE CONTACTER.

DISTRIBUÉ PAR MEDIALIBRI S.R.L.

VIA IDRO, 38 - 20132 MILAN - TEL. 02 272.07.255 - 25.63.166 - FAX (02) 25.67.179